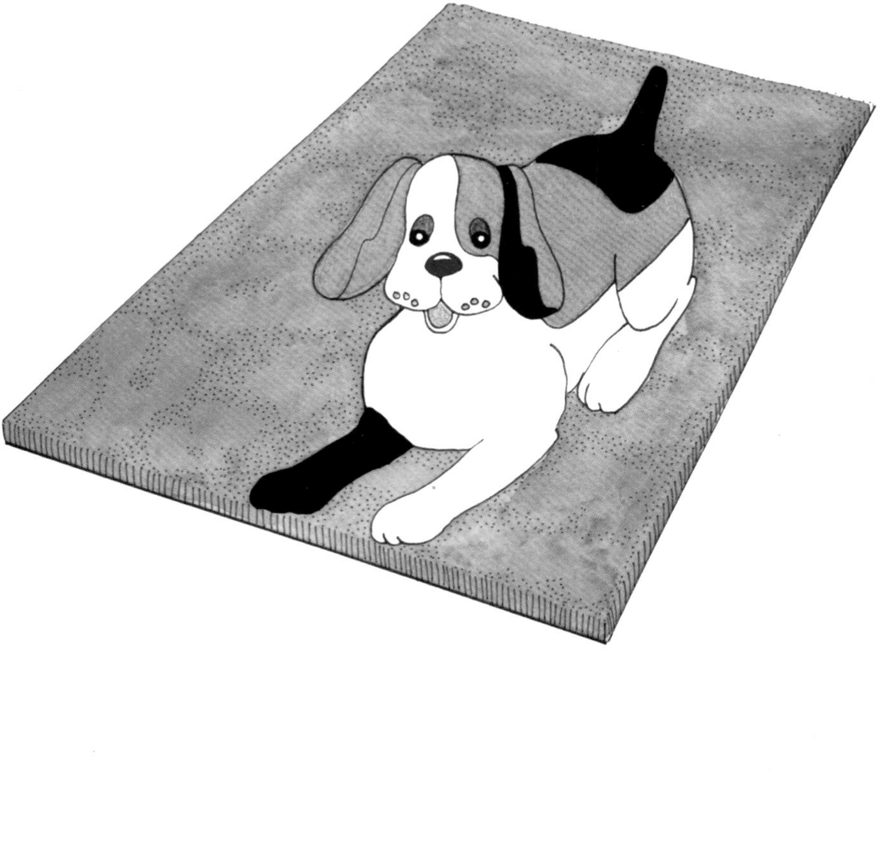

a dog on a mat

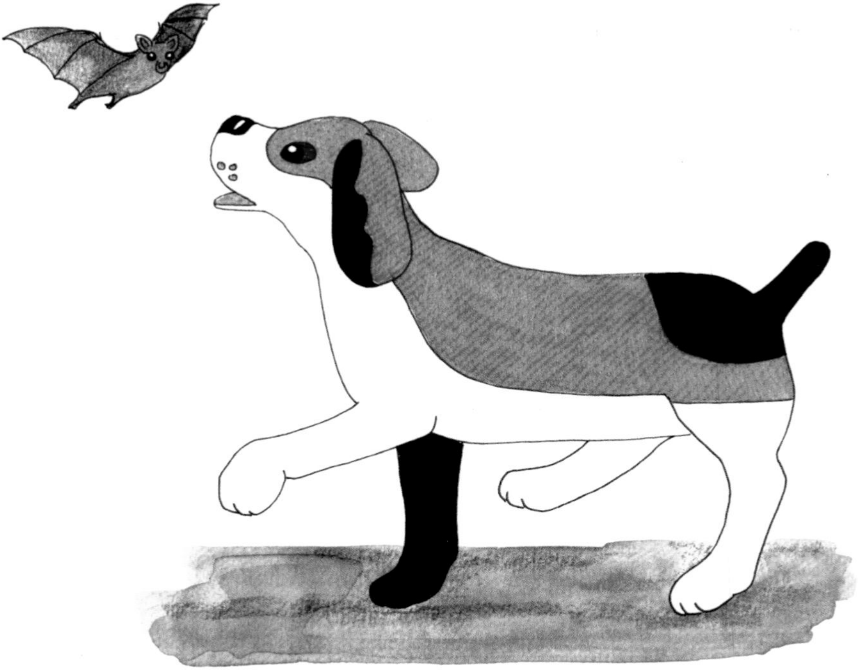

a dog and a bat

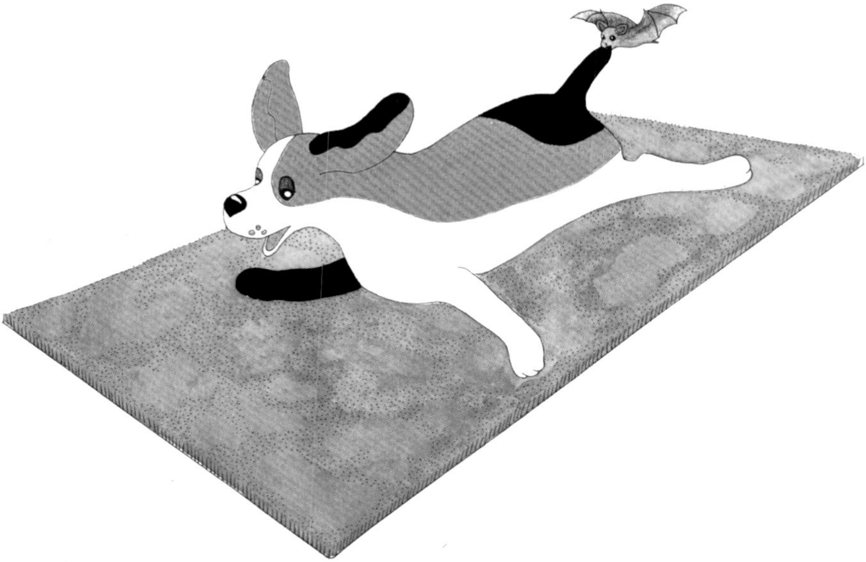

a mad dog on
a mat

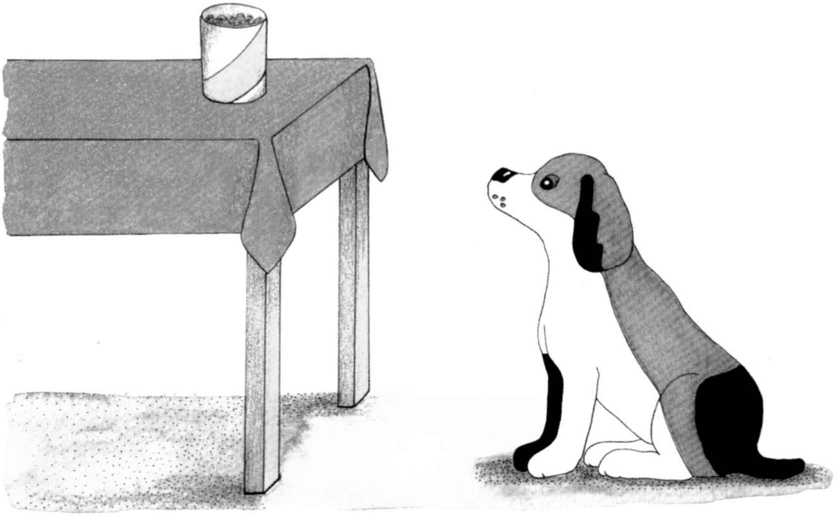

a dog and a tin

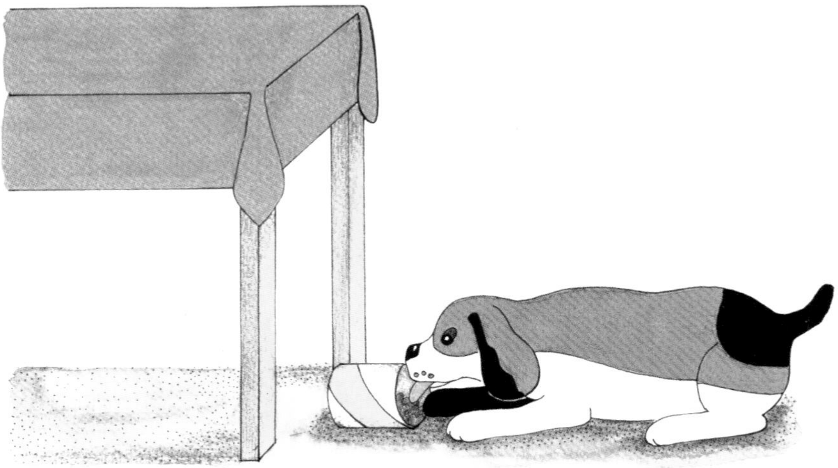

a bad dog and

a tin

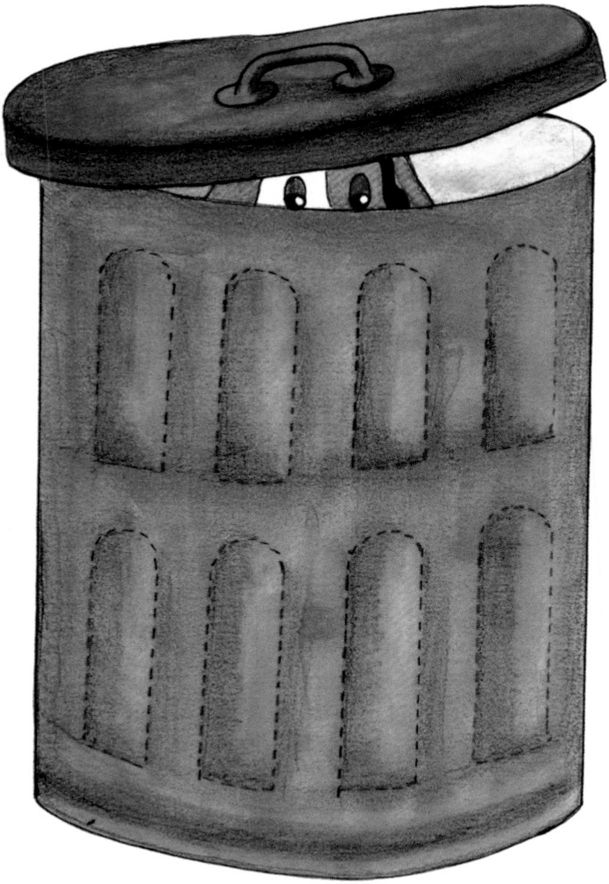

a bad dog in
a bin

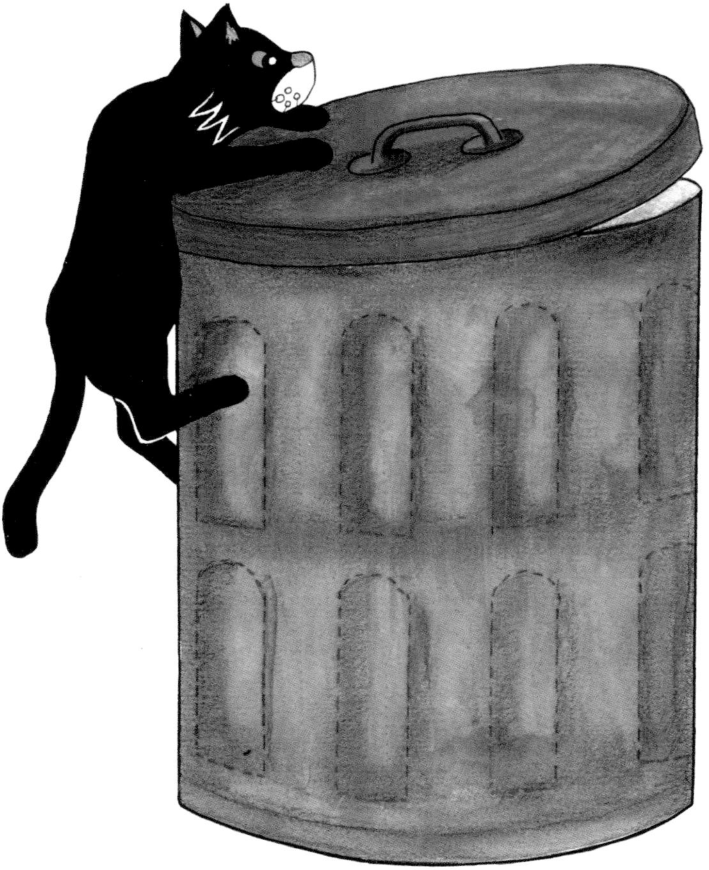

a cat on a bin

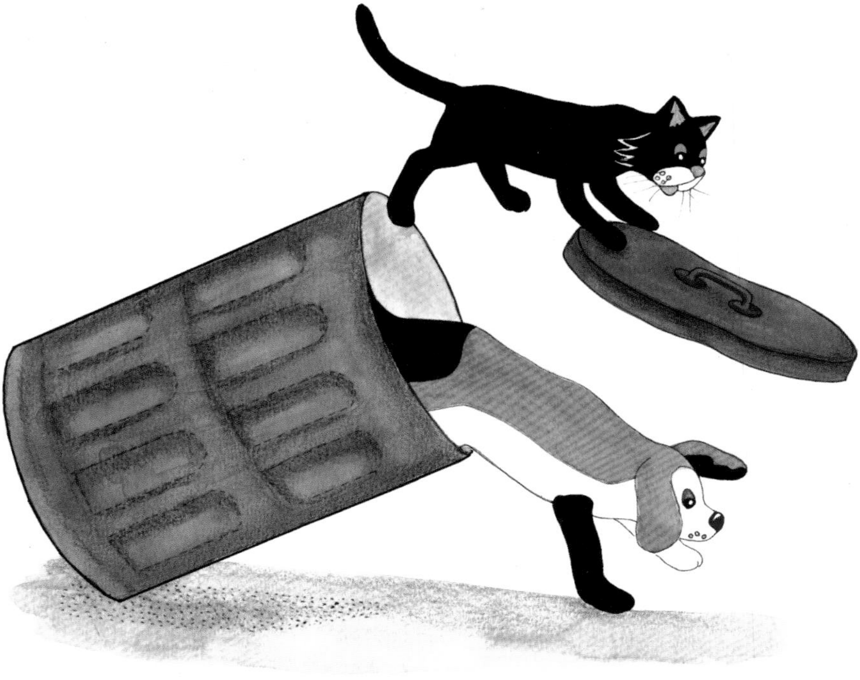

a mad dog and
a mad cat